HISTOIRES D'ANIMAUX

D0198624

Le chimpanzé

BAYARD JEUNESSE

Le soleil s'est levé.
Un rayon se faufile à travers l'épais feuillage
de la forêt. Il vient surprendre
un groupe de chimpanzés
encore tout engourdis de sommeil.

Une femelle et son bébé
sont descendus lentement de leur arbre.
La mère jette un regard sur son grand fils, au loin.
Rapide comme l'éclair, il a sauté du nid
et a disparu dans la nature.

Le bébé se blottit tout contre
la fourrure de sa mère.
Calé au creux de son épaule,
il va prendre sa première tétée.
Une belle journée s'annonce,
avec ses moments de câlins et de jeux.
Le plus grand plaisir de bébé,
c'est quand sa mère farfouille dans sa fourrure.
Elle pince une à une les petites bêtes
qui s'accrochent aux poils et qui grattent tant.
De temps en temps,
la maman se penche sur son petit.
Elle lui lèche l'oreille et lui mordille le bras.
Quel délice !

La mère est trop occupée par son bébé.

Elle n'a pas vu le grand frère qui s'est faufilé

entre les arbres de la forêt.

Il est curieux, avide de découvertes.

Il s'agrippe aux fines branches de bambous,

se balance, mâchouille des feuilles,

s'élance à nouveau.

Et, peu à peu, sans prendre garde,

il s'éloigne du groupe.

Le lac n'est plus qu'à quelques pas.

Le chimpanzé quitte ses branches

et bondit sur le sol.

Il va prendre son premier bain du matin,

un bon bain de fraîcheur !

Comme c'est amusant de sauter dans l'eau,
de tout éclabousser !
La moindre liane se transforme en balançoire.
Le jeune chimpanzé s'accroche d'une main,
d'un pied, il tourne, il se balance et, plouf !
d'un seul coup,
il se laisse tomber dans l'eau.

Mais, soudain, un terrible grognement
roule sur le lac.
Le jeune chimpanzé s'arrête net.
Effrayé, il tourne la tête dans tous les sens.
Il cherche celui qui a crié.

Un babouin mâle, perché en haut d'un arbre,
menace le jeune chimpanzé.
Il n'a pas apprécié l'arrivée d'un intrus dans son lac.
Il montre ses canines immenses, pointues comme
des poignards. Il hurle d'une voix grinçante.
Pour le moment, il ne bouge pas,
mais en une seconde il pourrait bondir
et se jeter sur le chimpanzé.

Le jeune vient de mesurer le danger.
Pris de panique, il pousse des petits cris perçants
et gesticule. Il voudrait fuir.
Tétanisé par la peur,
il s'agrippe aux lianes, il surveille le babouin,
mais n'ose plus bouger. Il est piégé !

À l'autre bout de la forêt,

la mère, partie à la cueillette,

son bébé sur le dos,

a entendu les cris de son grand fils.

Elle tend l'oreille. Le son provient du lac.

Alors, sans perdre une seconde,

elle court en direction des cris.

La peur lui donne des ailes.

Elle n'a plus qu'une centaine de mètres à parcourir...

Vite, elle dépose son bébé dans l'herbe

et se jette dans les feuillages,

au secours de son jeune en danger.

*E*lle a vite fait de repérer le babouin

dans son arbre, et son grand fils dans les lianes.

Caché par les feuillages, à peine visible,

le babouin s'est arrêté de hurler.

Il observe la mère qui s'approche.

Elle le regarde aussi, pousse des grognements,

montre ses dents. Rien n'y fait.

Le babouin ne bouge pas.

Alors, elle va chercher des branches,

elle les agite en direction du babouin.

Mais il ne réagit toujours pas.

Enragée, la mère ramasse des pierres

et les jette sur le babouin.

Celui-ci penche la tête,

se retourne et finalement s'enfuit.

Le jeune chimpanzé est soulagé.

Il court se réfugier près de sa mère.

Tous deux s'assoient entre les herbes

et se calment un peu.

Ils restent là, longtemps, en silence.

Ils se caressent et ils se touchent le visage.

La mère toilette son fils

en signe d'affection et de réconfort.

Tout à coup, le bébé pousse des petits cris.

Il a repéré sa mère et son frère

et vient se joindre à eux.

Tous trois regagnent alors leur nid et retrouvent
aussitôt la douce chaleur des joyeux chimpanzés.

Chimpanzé, qui es-tu ?

**Le chimpanzé est un grand singe sans queue
au pelage sombre, presque noir.**

**1. Le chimpanzé
est un vertébré**
Les os de son squelette
sont attachés à une
colonne vertébrale
dans son dos comme
chez tous les vertébrés
– la poule, le crocodile,
le poisson, la grenouille,
l'éléphant...

**2. Le chimpanzé
est un mammifère**
Son corps est couvert
de poils. La femelle
donne naissance
à des petits qu'elle
allaite, comme tous
les mammifères
– le tigre, l'éléphant,
le kangourou...

**3. Le chimpanzé
est un primate**
Ses yeux sont très
rapprochés. Il a cinq
doigts aux mains et aux
pieds. Il n'a pas de
griffes mais des ongles,
comme tous les
primates – le lémurien,
le macaque, le ouistiti,
le gorille...

**4. Le chimpanzé
est un hominoïde**
Il n'a pas de queue,
il a un visage presque
humain et un cerveau
bien développé,
comme tous les
hominoïdes – le gibbon,
le gorille, l'orang-outan
et... l'homme.

- **Nom scientifique :** *Pan troglodytes*
- **Longueur du corps :** 70 à 85 cm
  pour la femelle, 75 à 90 cm pour le mâle.
- **Poids :** 30 kilos pour la femelle,
  jusqu'à 50 kilos pour le mâle.
- **Nombre
  de dents :** 32, comme chez l'homme.
- **Peau :** variant du rose
  au brun noir.
- **Pelage :** noir.

Où vis-tu ?

Les chimpanzés ne vivent qu'en Afrique, de part et d'autre de l'équateur, dans les savanes boisées et les forêts humides.

Là où vivent les chimpanzés

Dans les régions d'Afrique où vivent les chimpanzés, la température est élevée tout au long de l'année.

Les spécialistes estiment qu'il y a 250 000 chimpanzés sauvages en Afrique.

Un animal protégé

Les chimpanzés sont des animaux protégés par la Convention de Washington.

Pourtant, les jeunes chimpanzés sont encore braconnés en Afrique.

Ils sont arrachés à leur mère pour être vendus comme animaux de compagnie ou de cirque dans des pays étrangers.

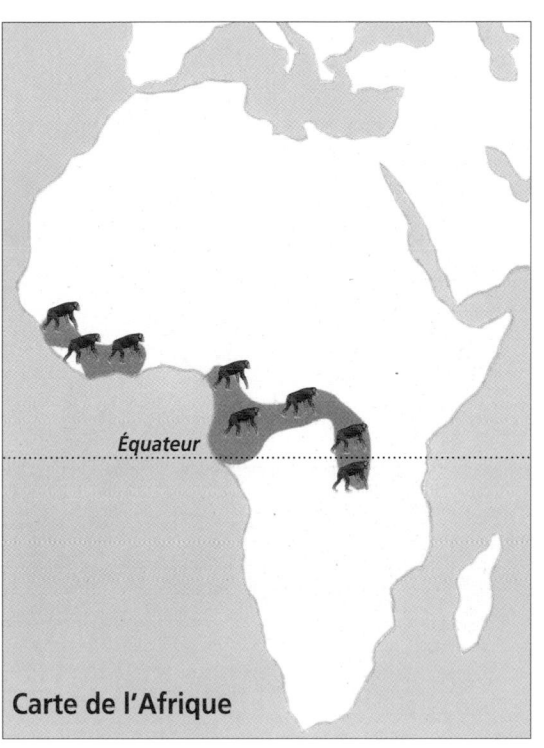

Équateur

Carte de l'Afrique

Le chimpanzé nain

En 1929, un scientifique a découvert une espèce de singe jusque-là confondue avec le chimpanzé.

Ce singe aux jambes plus droites et aux bras plus longs que ceux du chimpanzé est appelé bonobo, ou chimpanzé nain. Sa peau est noire, ses lèvres sont rouges et ses oreilles petites.

Il vit dans les forêts au sud du fleuve Zaïre.

Vis-tu seul ou en groupe ?

**Un chimpanzé ne peut pas vivre seul.
Les chimpanzés se regroupent en communautés familiales bien organisées.**

Le jour

Les chimpanzés appartenant à un même groupe passent de longs moments de la journée ensemble. Ils se nettoient leur fourrure les uns les autres, partagent parfois leur nourriture, jouent et se disputent aussi. De violentes bagarres peuvent éclater entre les mâles. Les femelles restent souvent à l'écart avec leurs petits pour ne pas être embêtées par leurs compagnons trop curieux.

La nuit

Les chimpanzés construisent chaque soir un nid. Dans un arbre, à cinq mètres du sol, ils entrelacent des branchages et des feuilles fraîches. Les chimpanzés adultes dorment seuls, alors que les jeunes partagent longtemps le nid de leur mère. Les chimpanzés restent près de douze heures par jour au nid.

Info chiffre
90 : c'est le nombre de chimpanzés composant le plus grand groupe jamais étudié. Il y a en général 10 à 20 chimpanzés par groupe.

Quel est ton territoire ?

**Chaque groupe de chimpanzés a un territoire dans lequel
il se déplace pour trouver sa nourriture.**

Les limites

Dans une forêt où la nourriture est abondante, le domaine d'un groupe de chimpanzés ne dépasse pas 20 km^2. Mais dans une savane, plus sèche, ils ont besoin d'explorer une surface quatre fois plus grande pour se nourrir.

Les chimpanzés ne font pas de grands déplacements, ils vivent sur leur territoire. On dit qu'ils sont sédentaires. Ils ne parcourent que 500 mètres à 3 km par jour.

La surveillance

Dans chaque bande, il y a des chimpanzés chargés de surveiller les frontières du territoire. S'ils aperçoivent un chimpanzé étranger, ils l'attaquent, surtout si c'est un mâle solitaire. L'intrus essaie alors de prendre la fuite avant d'être blessé. Mais si les surveillants l'attrapent et le font tomber au sol, ils le mordent et le battent à mort.

Info chiffre
40 à 50 ans : c'est l'âge que peut atteindre un chimpanzé vivant en liberté.

Que manges-tu ?

**Les chimpanzés mangent surtout des plantes,
mais aussi quelques animaux.**

Le menu du chimpanzé

Les chimpanzés se nourrissent surtout de fruits mûrs. Ils les récoltent au sol ou dans les arbres. Ils ramassent aussi des graines et cueillent de jeunes feuilles. Ils attrapent des insectes et chassent parfois des jeunes singes ou des antilopes et, à l'occasion, des oiseaux.

banane

fourmi

antilope

noix

Les outils du chimpanzé

Pendant la saison sèche, les chimpanzés cueillent des noix. Pour les ouvrir, ils les écrasent sur une pierre plate avec un gros caillou. Ils vont à la chasse aux fourmis en plantant un bâton dans la fourmilière. Ils capturent les termites en enfonçant une brindille dans une des entrées de la termitière.

Comment bois-tu ?

Le chimpanzé boit rarement. Il plonge la main dans un ruisseau pour ensuite lécher l'eau sur sa peau. Il utilise aussi une feuille d'arbre comme une éponge : il la froisse et la trempe dans une flaque avant d'aspirer l'eau.

Comment te déplaces-tu ?

**Les chimpanzés se déplacent surtout en marchant sur le sol,
mais ils savent aussi grimper aux arbres.**

1. La marche
Les chimpanzés peuvent se déplacer
debout sur leurs pattes arrière.
Ils marchent ainsi sur le sol
ou en hauteur, sur une branche horizontale,
en posant leurs pieds bien à plat.

2. La course
Pour courir, les chimpanzés préfèrent
se mettre à quatre pattes.
Ils posent sur le sol le dos
de leurs doigts recourbés.
Parfois, ils avancent en claudiquant
sur trois pattes.

3. L'escalade
Les chimpanzés grimpent
facilement aux arbres.
Ils entourent le tronc avec leur bras
et poussent sur leurs pieds pour se hisser.
Ils sautent aussi de branche en branche
en s'agrippant avec leurs mains.

Comment fais-tu tes petits ?

La femelle chimpanzé élève au plus cinq à six petits au cours de sa vie.

Un couple provisoire

Il n'y a pas de saison des amours chez les chimpanzés, mais une femelle n'accepte de s'accoupler que lorsqu'elle est en chaleur. Son arrière-train devient alors rose et boursouflé, et il attire les mâles.

La femelle s'accouple au sein de son groupe avec plusieurs mâles ou en choisit un avec lequel elle part en escapade quelques jours dans la forêt.

Une naissance bien cachée

Après l'accouplement, un seul petit se développe dans le ventre de la mère pendant 230 jours.

Avant la naissance, la femelle chimpanzé s'éloigne du groupe. Cachée dans un buisson, elle donne naissance à son petit toute seule.

Un petit chouchouté

Pendant la première semaine de sa vie, le petit chimpanzé reste blotti entre les bras de sa mère, qui lui donne à téter plusieurs fois par jour. Ensuite, il devient assez fort pour s'agripper à la fourrure de son ventre. Il peut alors accompagner sa mère dans tous ses déplacements.

Comment élèves-tu tes petits ?

**Le petit chimpanzé vit près de sa mère pendant plus de sept ans.
Avec elle, il découvre la forêt et apprend à trouver de la nourriture.**

Les premiers pas

Un petit chimpanzé commence à marcher vers l'âge de un an.
Mais sa mère peut continuer à le transporter assis sur son dos jusqu'à l'âge de trois ans.

Les premiers repas

La mère chimpanzé allaite son petit pendant près de trois ans, jusqu'à la naissance d'un petit frère ou d'une petite sœur. Mais dès l'âge de six mois, le petit goûte les fruits de la forêt. Au début, sa mère les mâchouille et elle les tend à son petit du bout des lèvres.

La fin de l'enfance

Les jeunes mâles s'éloignent de leur mère vers l'âge de sept ou huit ans, mais ils restent toute leur vie dans le groupe où ils sont nés. Les jeunes femelles, elles, quittent leur mère vers l'âge de huit où dix ans. Elles vont alors vivre dans un autre groupe.

Comment communiques-tu ?

**Les chimpanzés se comprennent bien entre eux.
Ils ont un visage très expressif et peuvent émettre des sons variés.**

Les mimiques

Quand un chimpanzé est en colère,
cela se voit tout de suite. Il s'arme
d'un bâton et avance, torse bombé, en
frappant le sol.
Quand il est joyeux, il saute sur place
en se donnant des claques sur les
cuisses.

Les cris

Les chimpanzés émettent treize sons différents. Ils grognent, ils grondent, ils
gémissent ou raclent leur gorge. Ils s'appellent parfois à travers la forêt en poussant
des hurlements assourdissants : Hi... hi... hi... Mais quand, tous en chœur, ils lancent
un « Hou... hou.. hou... » puissant, c'est qu'ils ont trouvé un arbre couvert de fruits.

la joie   la peur   la décontraction

L'épouillage

Quand deux chimpanzés d'un même groupe se grattent mutuellement la peau et la
fourrure du bout des ongles, ce n'est pas seulement pour retirer la poussière et les
poux ; c'est surtout une façon de se dire qu'ils sont amis.

Pourquoi ressembles-tu à l'homme?

Le chimpanzé, surtout quand il fait des grimaces, a un visage qui rappelle celui de l'homme.

Un cousin lointain

Le chimpanzé ressemble en de nombreux points à l'homme, car il est en quelque sorte notre cousin lointain. Son cerveau est bien développé et sa mémoire est grande. Chez les chimpanzés, l'éducation des jeunes est longue et ils savent se servir d'outils.

Un ancêtre commun

Il y a six ou sept millions d'années, il n'y avait sur terre ni chimpanzé ni homme. Vivait alors probablement une espèce de singe qui n'existe plus aujourd'hui. Ce singe pourrait être l'ancêtre commun du chimpanzé et de l'homme.

Un inconnu

Les paléontologues recherchent les restes fossiles d'animaux disparus. Ils ont déjà trouvé de nombreuses traces d'hommes ayant vécu avant les hommes modernes. Mais ils n'ont encore jamais trouvé de fossiles d'ancêtres du chimpanzé.

Lucy, l'australopithèque
Elle vivait il y a 3 millions d'années, mesurait à peu près 1,10 m pour 27 kg.

Crédits photographiques

Photo de couverture : M. Gunther / Bios.
Page 5 : D. Nigel / Bios.
Pages 7, 8/9, 26/27 : M. Harvey / Bios.
Pages 11, 12/13, 15, 18/19, 21, 23 : M. Gunther / Bios.
Page17 : Klein, Hubert / Bios.
Page 25 : C. Ratier / Colibri.
Page 37 : Muséum national d'histoire naturelle

Impression et reliure : Proost, Belgique
N° d'éditeur : 7001

Deuxième Édition